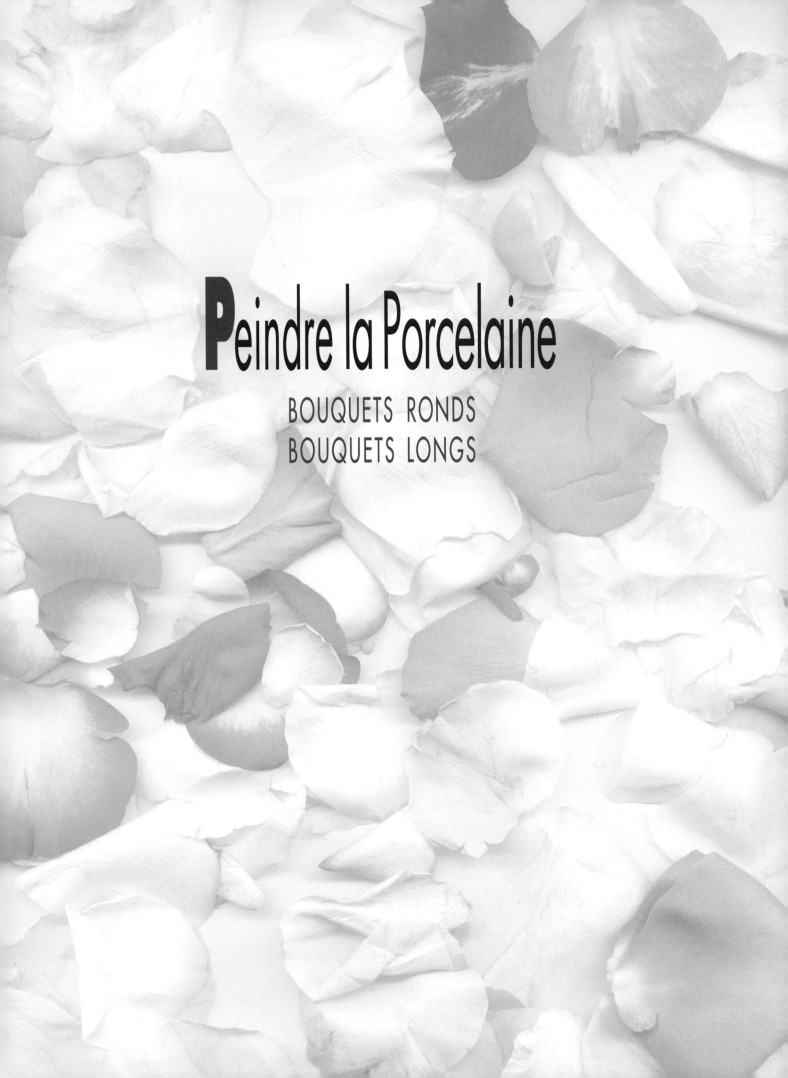

Peindre la Porcelaine

BOUQUETS RONDS
BOUQUETS LONGS

BOUQUETS RONDS
BOUQUETS LONGS

Une histoire de fleurs

Un sujet simple, si souvent utilisé, pas toujours facile
à composer et pourtant si agréable à réaliser.

Cet ouvrage va donc vous offrir de multiples compositions
originales et vous permettre ainsi de les appliquer
sur les porcelaines que vous souhaitez décorer.

Vous trouverez différents styles : classique, moderne,
Chine, Art Déco, Japon, petits traits et petits points…

Chaque composition est réalisée à l'aquarelle
et toutes sont des créations faites à votre intention.

J'espère que vous y trouverez votre bonheur
et que vos réalisations sur porcelaine vous apporteront
beaucoup de plaisir.

Lydie Guillem

Lydie Guillem

Peindre la Porcelaine

150
compositions
originales

Éditions Didier CARPENTIER

Sommaire

Introduction

Ce nouvel ouvrage fait suite aux cinq précédents déjà publiés
qui vous ont apporté de nombreux conseils et tout autant d'idées.

Celui-ci offre à nouveau un grand nombre de compositions originales et de dessins
à réaliser sur porcelaine (ou autres supports).

Pour la porcelaine, il est cependant important de rappeler certains conseils
indispensables pour obtenir un bon résultat.

Sachant que le feu est le grand maître en la matière
et que toute erreur dans la préparation ou dans la pose des couleurs
sera fatale au final, il est bon de respecter les bases techniques.

Quelques points essentiels à ne jamais négliger

- prenez des porcelaines de bonne qualité,

- utilisez du matériel en bon état ; les pinceaux sont fragiles et demandent un soin particulier
  pour préserver leur longévité,

- choisissez vos couleurs en fonction des nuanciers proposés par les professionnels et les magasins,

- faites votre propre nuancier pour mémoriser vos couleurs
  (la couleur de la poudre se modifie après cuisson),

- nettoyez bien votre porcelaine,

- préparez votre dessin à main levée ou avec un calque,

- choisissez bien son emplacement sur l'objet en respectant les axes
  et la place réservée aux motifs ou filets d'accompagnement,

• • • ensuite, nous passons à la peinture.

Le choix des couleurs et leur préparation

Petit rappel nécessaire pour obtenir le meilleur résultat de votre travail

- préparez vos couleurs sur une palette très propre,

- travaillez les poudres avec beaucoup de soin et de patience,

- mélangez longuement mixtion, poudre et essence (ce mélange devra se faire régulièrement pour
  que vos préparations soient toujours au mieux de leur fluidité durant tout le temps de votre travail),

- ne mettez pas trop de gras ou de médium dans vos couleurs, ne les passez pas en épaisseur
  (la couleur éclaterait pendant la cuisson),

- de même une couleur trop allongée ou trop liquide donnerait un résultat décevant,

- travaillez en nuances pour pouvoir retoucher et accentuer les couleurs
  après cuisson (retoucher ne veut pas dire recouvrir toute la couleur de base :
  la retouche doit accentuer un volume, une ombre et se faire par petites touches),

- protégez vos pièces de la poussière et autres produits diffusés dans la maison,

- faites cuire autant de fois que nécessaire : deux, trois ou quatre fois,
  pour que le résultat final vous donne satisfaction.

Ces petits rappels seront bien utiles
pour que vos compositions sur porcelaine soient les plus satisfaisantes possibles.

Bouquets Longs

Cette série de bouquets longs illustre le chapitre du langage des fleurs en page 66.

Ils sont composés d'une grosse fleur centrale,
d'une base de tiges et de feuilles
et de deux ou trois fleurs moyennes, entourées de petites fleurs.

Au-dessus de la fleur centrale,
des branches fleuries s'élèvent en courbes gracieuses
et donnent au bouquet toute sa finesse et sa légèreté.

Bouquets Ronds

*U*n bouquet rond peut se composer
de trois grosses fleurs entourées de feuilles.

*S*i l'espace à décorer le permet, vous pouvez agrandir
ce rond de fleurs en ajoutant de multiples branches fleuries.

À vous de choisir les couleurs en harmonie.

Fleurs des **Villes**
ou *Fleurs* des **Champs**

*T*rois fleurs traditionnelles ou fleurs inventées
composent ces bouquets.

*L*e volume rond est accentué
par des feuillages fins et légers.

Coquelicot
Marguerite et Clochette

Rose, Lys
et Orchidée

14

Bouquet rond en camaïeu rose
pour cette assiette ajourée.

Fleurs en Couronne

*Des fleurs multicolores
ou en camaïeu
permettent à ces couronnes de décorer
un marli d'assiette ou un grand plat.*

$\mathcal{C}$es frises peuvent également s'appliquer sur d'autres objets
et offrir de nouvelles compositions décoratives.

Coffret

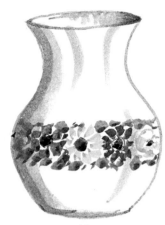

Vase

Déjeuner

$\mathcal{L}$a couleur des fleurs peut changer et offrir ainsi d'autres harmonies.

$\mathcal{P}$ar exemple si les roses sont de couleur jaune,
choisissez des tons chauds pour les autres fleurs
avec une harmonie de jaune citron, brun jaune et capucine.

Violettes et pensées harmonisent leurs tons de mauve, violet et violine.

Les verts et une touche de jaune brun pour quelques pétales
font chanter toutes les autres couleurs.

Reine-marguerite, dahlia, anémone du Japon, pétunia, soleil et tradescantias.
Voilà une couronne de fleurs rondes et colorées.

Fleurs Rondes

*Ces compositions présentées sur des tasses
et sous-tasses peuvent également servir de décor pour d'autres objets.*

*Transposer ces décors en centre d'assiette
ou de plat peut vous offrir un élément décoratif original.*

*Bien sûr, les tasses à café ou les déjeuners
trouveront ce décor tout à fait
approprié à leur forme.*

À vous d'imaginer d'autres utilisations.

Le Nénuphar

*S*ur un fond de feuilles rondes,
le nénuphar ouvre sa corolle
pour laisser voir son cœur.

Le Chardon

*C*harmeur malgré ses longs pétales hérissés
et ses feuilles piquantes.

L'Hortensia

Qu'il soit rose, bleu ou violet,
sa grosse boule de petites fleurs
est très décorative.

Un régal pour les peintres.

La Clématite

Originale par sa forme
et ses couleurs, cette fleur grimpe
et s'accroche grâce à de multiples lianes.

Le Camélia

Une harmonie de rose et de vert
pour cette belle et grosse fleur.

Une pivoine aux tons ambrés
étale ses pétales
sur un fond de feuillage vert foncé.

Un *Petit* Tour en *Extrême-Orient*

*Lotus, fleurs de prunus, pivoines et chrysanthèmes,
autant de fleurs que l'Asie a toujours su mettre en scène dans ses décors traditionnels.*

*Très sensible à leur beauté, je profite de cette nouvelle occasion
pour redonner une place à ces fleurs splendides
en les intégrant dans nos décors sur porcelaine.*

Le Lotus

Dans les Pays d'Asie, symbole du détachement de la vie et de ses tourments,
le lotus est la fleur incontournable
tant par sa beauté que par son harmonie si pure.

La fleur de lotus représente également l'épanouissement de l'enfant
dans sa vie matérielle et spirituelle.

Les Fleurs de Prunus

$\mathcal{S}$emblables à des papillons,
elles offrent de ravissants décors.

$\mathcal{U}$ne branche légère
de fleurs roses ou blanches
devient un ornement délicat
pour de multiples objets.

$\mathcal{L}$e travail doit être tout en nuances et très léger.

$\mathcal{L}$es branches fines et les cœurs
en petits points et petits traits
ont une grande importance
dans le raffinement de la représentation.

Les Pivoines

Les Chrysanthèmes

35

Fleurs de Chine sur fond noir ou or

- Tracez les motifs.
- Peignez les fleurs et les feuilles en ébauche.
- Passez le noir.
- Faites une première cuisson.
- Retouchez les fleurs et les feuilles.
- Repassez le noir pour obtenir un bel uni
  (ajoutez une goutte d'or brillant
  dans la préparation du noir,
  il sera plus beau).
- Faites une deuxième cuisson.
- Procédez de la même manière
  pour le fond or mat.
- Polissez l'or après cuisson.

Un Air Art déco

Ce bouquet de narcisses possède des fleurs et des feuilles stylisées, cernées d'un trait plus foncé.

C'est une des caractéristiques de ce style si particulier.

Les Iris...

...et le Perce-Neige

...les Pissenlits

*T*elle une danse voluptueuse,
les tiges et les feuilles
accompagnent ces fleurs
dans leurs mouvements souples.

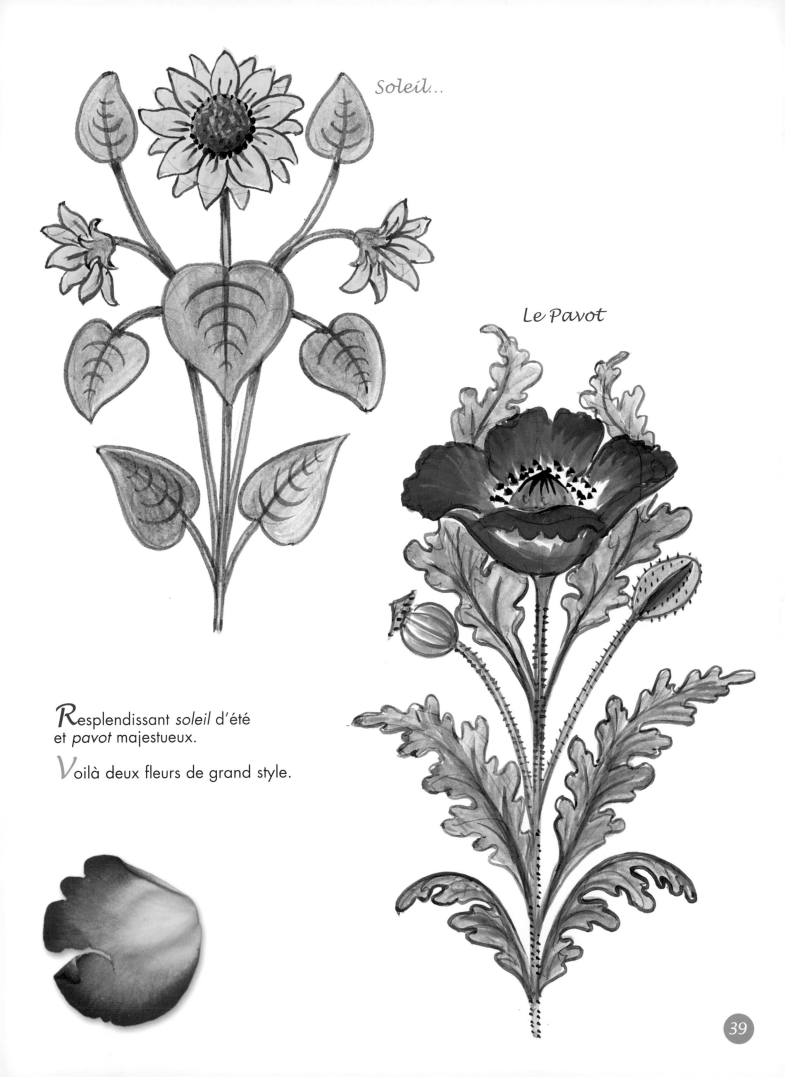

Soleil...

Le Pavot

Resplendissant *soleil* d'été
et *pavot* majestueux.

Voilà deux fleurs de grand style.

39

Jeux d'Orchidées

*Légères comme des papillons ou rondes et voluptueuses,
les orchidées fascinent par leurs multiples facettes
et leurs formes complexes.*

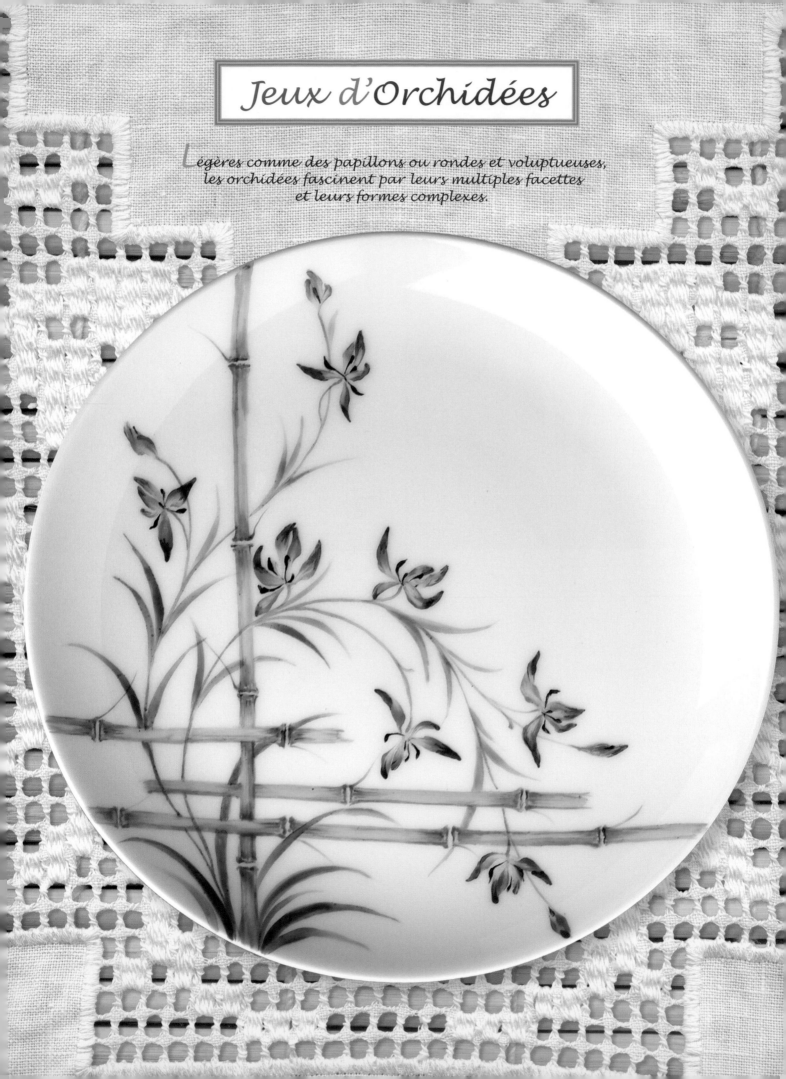

Petits Traits et Petits Points

$\mathcal{O}$riginal direz-vous ! des traits, des points
et quelques touches de couleur... Pourquoi pas ?
C'est décoratif et amusant à faire !

$\mathcal{V}$oyons comment cela marche :
préparez d'abord le dessin géométrique.
Tracez tous les axes, toutes les divisions
et calculez le nombre de motifs à placer
sur la pièce, surtout s'ils vont par paires.
Il est indispensable
de « tomber juste » dans les divisions.

$\mathcal{E}$ffectuez ensuite le travail à la plume
qui permettra de mettre en place tous les détails.

$\mathcal{A}$près cuisson, posez les couleurs
en harmonie ou en contraste.

$\mathcal{A}$musant n'est-ce pas !

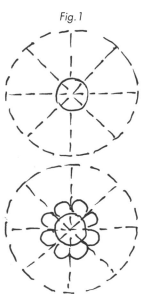

Fig. 1

Fig. 3

Fig. 1
Tracez un cercle. Divisez par 8 et faites un cercle central.

Fig. 2
Tracez les petits pétales dans la base de chaque division.

Fig. 3
Ajoutez les grands pétales sur chaque division.

Fig. 4
Intercalez les pointes des pétales dans les espaces restants.

Fig. 2

Fig. 4

*E*n frise, en bord d'assiette,
ces motifs peuvent trouver leur place
sur de nombreux objets.

*A*grémentés d'or, les motifs
prennent un air brillant
qui n'est pas pour nuire à leur originalité.

Partant d'un motif de fleurs très ouvragé,
une cascade de feuilles glisse vers la base du vase.

Des tons chauds ou des tons froids,
à vous de faire un choix.

Deux Brins de Fleurs

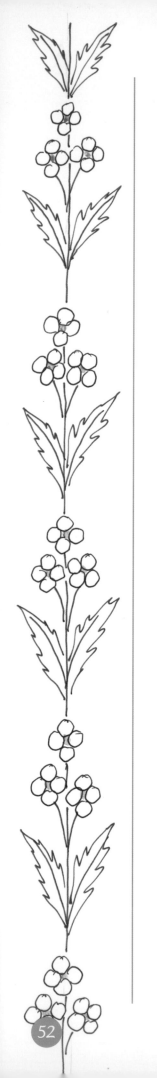

Julienne des Jardins

Voici des fleurs à longues tiges
pour agrémenter un vase tout aussi long.

Deux brins reliés par des nœuds,
des rubans, des cordelettes de couleurs,
une tresse ou une bague bijou
pour ces décors délicats.

Le Liseron

Le Bleuet

La Marguerite

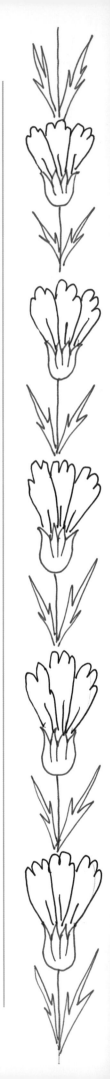

Le Crocus

Le Bouton d'Or

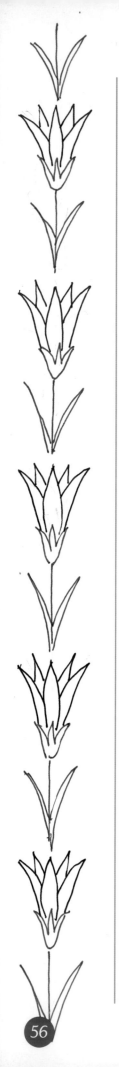

La Dame-d'onze-heures

L'Œillet

Le Cœur Bleu

Le Cœur Rose

Ikebana

L'ikebana est l'art de composer un bouquet.

L'équilibre, la couleur, la forme, la force des éléments,
le sens caché des fleurs et le socle ou le vase,
tout est très minutieusement étudié.

L'Harmonie faite bouquet !

Même si mon pied est lourd,
tout n'est que souplesse
et volupté dans mes bras.

Je tourne et je virevolte en tous sens.
Mes corolles rouges sont fascinantes
et j'ai l'air de danser.

*L'*émail de mon vase attire tous les regards.

*M*ais regardez-nous fleurs roses aux larges
feuilles, et nous, fleurs blanches,
posées le long de branches ondulantes…

*N*otre souplesse est du plus bel effet.

*G*rimpant par étages successifs,
je déploie les différentes fleurs
de mon bouquet.

*R*ose vif et charnue, la fleur de base
allonge ses lourds boutons,
puis Mademoiselle au cœur d'or s'élance…
1… 2… 3… pour aller plus haut,
c'est moi, la frêle branche qui soutient
dans leur élan, une multitude de fleurs blanches.

63

Comme une envolée de papillons jaunes, l'orchidée s'élance en une courbe gracieuse.

À ses pieds, les fleurs blanches aux larges pétales irisés et la grande feuille marbrée cachent un semis de cailloux ronds donnant le poids et la force d'équilibre à l'ensemble.

*S*ortant d'un chapeau en terre dorée,
le grand cornet blanc de l'arum
dévoile son pistil et…
comme par une explosion,
les iris partent en tous sens
emportant avec eux leurs boutons
et leurs feuilles longues et fines.

Le Langage des Fleurs

Le langage des fleurs est tout un art où le symbole est omniprésent.
Chaque fleur, par son histoire ou par son aspect, délivre un message.
Tous les sentiments y trouvent leur émissaire.

Certains apportent la joie, l'espoir, le bonheur ou l'amour ;
d'autres mettent en garde contre d'indésirables sentiments
ou encore annoncent la tristesse...

Toutes les fleurs ont en commun la beauté et le désir d'être aimées.

Le Langage des Fleurs

Anémone - Persévérance

Anis - Promesse

Aster - Amour confiant

Azalée - Joie d'aimer

Bégonia - Cordialité

Belle de Nuit - Discrétion

Bleuet - Timidité

Bouton-d'or - Joie

Campanule - Coquetterie

Capucine - Indifférence

Chardon - Déplaisir

Chèvrefeuille - Liens

Chrysanthème - Amour terminé

Ciguë - Bravoure

Clématite - Désir

Colchique - Jalousie

Coquelicot - Ardeur fragile

Coucou - Retard

Cyclamen - Beauté

Dahlia - Reconnaissance

Fuchsia - Ardeur du cœur

Gardénia - Sincérité

Genêt - Préférence

Gentiane - Douleur

Géranium - Amour

Giroflée - Constance

Glaïeul - Rendez-vous

Glycine - Tendresse

Hortensia - Caprice

Iris - Cœur tendre

Jacinthe - Joie du cœur

Jasmin - Amour et volupté

Jonquille - Mélancolie

Lavande - Tendresse

Lilas - Amitié

Lys - Pureté et majesté

Liseron - Attente

Marguerite - Confiance

Menthe - Mémoire

Mimosa - Sécurité

Muguet - Coquetterie

Myosotis - Souvenir fidèle

Narcisse - Égoïsme

Nénuphar - Pureté du cœur

Œillet de poète - Admiration

Œillet - Ardeur

Œillet d'Inde - Séparation

Orchidée - Fécondité

Pâquerette - Aspiration

Pavot - Songe

Perce-neige - Épreuve

Pervenche - Mélancolie

Pétunia - Obstacle

Phlox - Flamme

Pivoine - Sincérité

Primevère - Premier amour

Renoncule - Reproche

Rhododendron - Élégance

Romarin - Cœur heureux

Rose - Amour

Fleur de Seringua - Souvenir

Souci - Chagrin

Tulipe - Déclaration

Véronique - Fidélité

Violette - Amour caché

Volubilis - Amitié dévouée

Zinnia - Inconstance

Alphabet fleuri
et Calligraphie

*P*our décorer des initiales, choisissez des lettres dans un alphabet.
Agrandissez-en deux ou trois et décalquez-les.
Superposez les différents calques de chaque lettre pour composer le monogramme.

—— Exemple ——

L G B

*A*joutez ensuite le décor choisi en conservant bien la forme des lettres.

ABCDEFGHIJKLM
NOPQRSTUVWXYZ

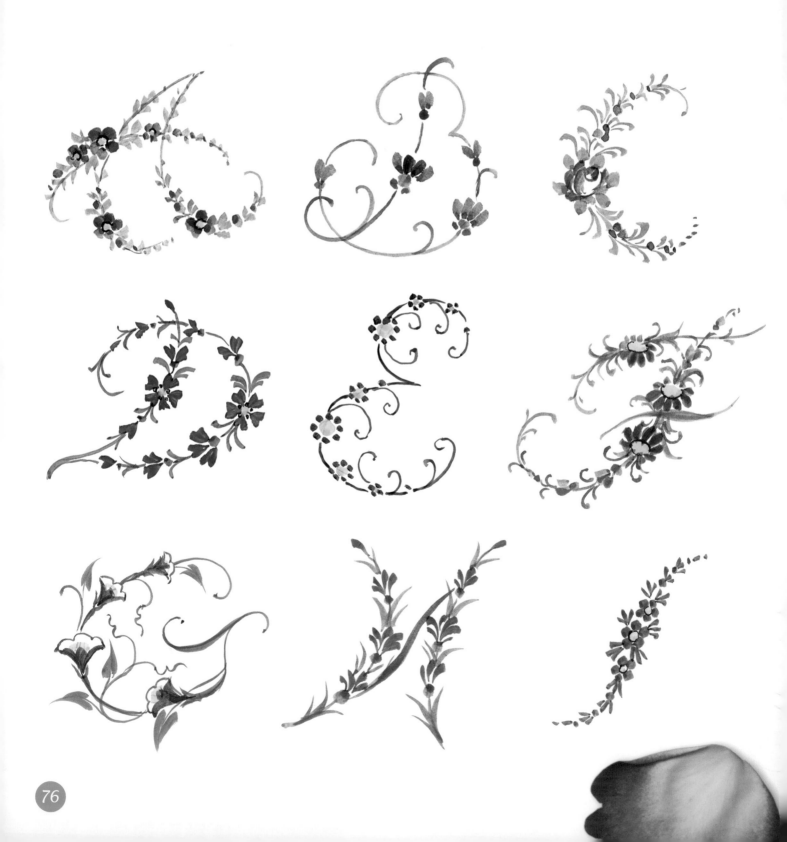

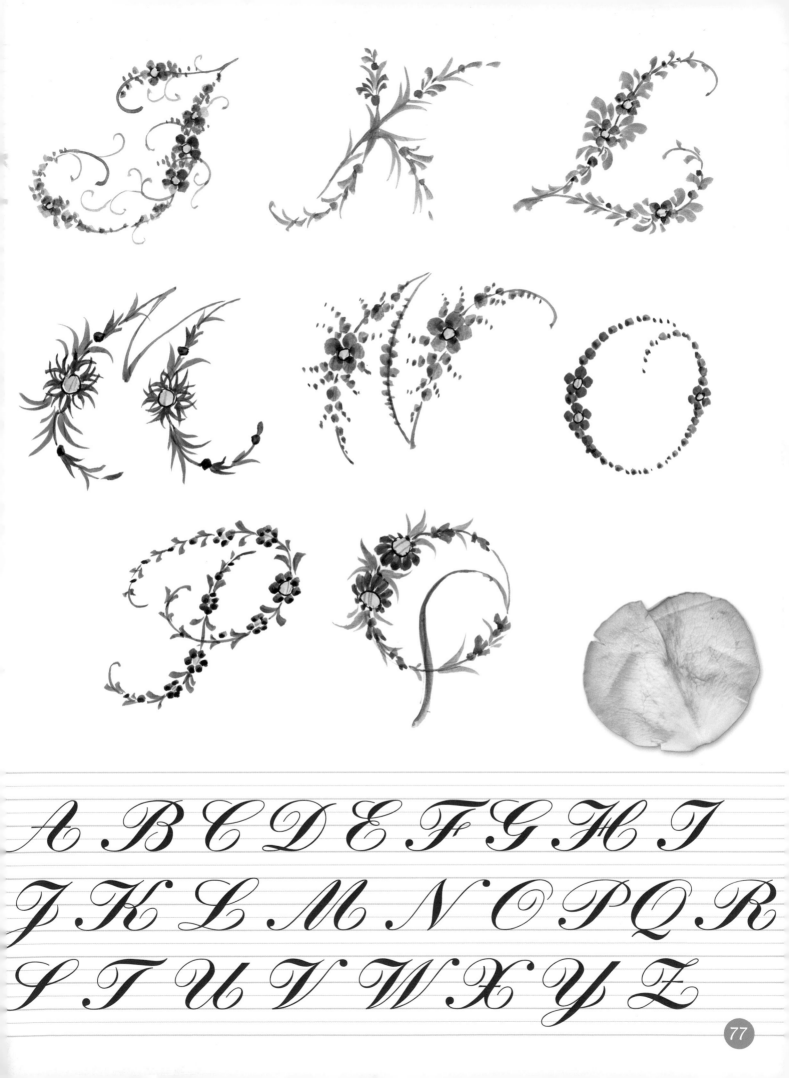

A B C D E F G H I J
K L M N O P Q R S T
U V W X Y Z

Du même auteur
chez le même éditeur

Découvrir et s'initier
à la Peinture
sur Porcelaine
un Art de passion…

Décors
et Compositions
pour Porcelaine
*Faïence
et autres supports*

Peindre la Porcelaine
*Le tour du monde
d'une assiette*

Peindre
sur la Porcelaine
*Un Arc-en-Ciel
de Camaïeux*

4 saisons à peindre
sur la porcelaine
et autres supports

Porcelaine Passion

Volume 1
*Femmes et Fleurs
Women and Flowers*
Ouvrage bilingue
Français/Anglais

Vous venez d'acquérir cet ouvrage et nous vous en remercions vivement.
Pour obtenir notre catalogue général gratuit, demandez-le à votre libraire (ou autres points de vente) ou écrivez-nous :

Éditions Didier CARPENTIER
7 rue Saint-Lazare 75009 PARIS   Fax: 01 42 82 91 99

© 2004 - Éditions Didier CARPENTIER - Dépôt légal : avril 2006
Imprimé en UE - ISSN 1151-616X - ISBN 2-84167-287-5